当代书法名家◎中国书法家协会草书专业委员会专辑

张旭光

海风出版社
HAIFENG PUBLISHING HOUSE

图书在版编目（CIP）数据

张旭光专辑/张旭光书.—福州:海风出版社，2008.11
（当代书法名家.中国书法家协会草书专业委员会专辑；3/胡国贤，李木教主编）
ISBN 978-7-80597-829-1

Ⅰ.张… Ⅱ.张… Ⅲ.草书—书法—作品集—中国—现代 Ⅳ.J292.28

中国版本图书馆CIP数据核字（2008）第177076号

当 代 书 法 名 家
中国书法家协会草书专业委员会专辑
张旭光 专辑

策　　划：焦红辉
主　　编：胡国贤　李木教
责任编辑：叶家佺　叶浩鹏　吴德才
装帧设计：叶浩鹏
责任印制：傅　强　吴尚联

出版发行：海风出版社
（福州市鼓东路187号　邮编:350001）
出 版 人：焦红辉
印　　刷：福州青盟印刷有限公司
开　　本：889×1194毫米　1/16
印　　张：4印张
版　　次：2008年11月 第1版
印　　次：2009年3月 第1次印刷
书　　号：ISBN 978-7-80597-829-1/J·177
定　　价：798.00元（全套21册）

张旭光 字散云，1955年10月出生，河北安新县人。现任中国书法家协会分党组成员、副秘书长，中国书法家协会展览评审领导小组副主任、草书委员会副主任、硬笔书法委员会主任。北京大学书法研究所客座教授，中国美术馆艺术委员会委员。自1988年先后在中国美术馆举办个人作品展，在中央电视台举办讲座，赴日交流讲学；作品多次入选国展、中青展、名家精品展等重大展览，收入《中国著名书法家精品集》、《中国当代美术全集·书法卷》等多部大型书法集；在曲阜、岳阳楼等多处勒石刻碑；被中南海、中国美术馆、军事博物馆和日本、韩国以及欧美国家收藏；出版专著有《楷书》、《行书》教材，《现代书法字库·张旭光卷》、《张旭光书法集》、《张旭光艺术文丛》四卷、《张旭光诗词书法》、《行书技法》、《行书临摹·创作》光盘，并有多篇文章发表。先后担任中国书法兰亭奖、国展、青年展等重大评审活动评委会副主任兼秘书长，负责组织和评审工作。

序

两个多月前，经李木教委员搭桥，由海风出版社出版《当代书法名家》丛书，第一辑为中国书法家协会草书专业委员会专辑，每个委员一卷，既能反映每位书家个人的艺术风采，又能体现草书委员会的整体实力、整体风貌，还能彰显当代草书创作的一些境况和情势，一举多得，令人兴奋。

草书专业委员会成立于2006年，是中国书法家协会下设的几个专业委员会之一，职责是专事草书方面的研究、创作等。共有委员二十一人（原二十二人，副主任周永健先生今年五月因病故去）。年龄最大者六十几岁，最小者三十几岁，都是活跃在当今书坛的实力派书家。

这二十位书家，每个人都在草书上卓有建树，功力既深，格调亦高，个性风格鲜明而强烈。他们都以传统为师，在传统中孜孜以求，精益求精。并在此基础上，广涉博取，锐意开拓，大胆突破，开辟新境界。因而他们的作品无论气象还是内涵上，都很耐人寻味，颇富艺术感染力。

海风出版社将这么多书家和他们的作品结集出版，诚是一着高棋，定会令人一饱眼福，并从中获得一些有益的启示。

本人作为草书委员会的一员，能和诸书友一道共同参与这个盛事，深感荣幸。借本书出版之际，谨向海风出版社表示诚挚的谢意。希望本书能受到欢迎。也诚望能得到批评指正，以期有更大的长进，不辜负书友和同道们的厚望。

聂成文

二〇〇八年八月八日

目录

◎行草 自作诗一首……2
◎草书 郑板桥题兰诗一首……3
◎行草 意临《圣教序》……4
◎草书 王安石诗一首……5
◎写意 王右军奉橘帖……6
◎写意 王右军何如帖……7
◎写意 王献之帖……8
◎写意 王右军平安帖……9
◎写意 王献之鸭头丸帖……10
◎写意 王右军行穰帖……11
◎写意 十七帖……12
◎草书 苏东坡诗一首……14
◎行书 自作诗春日柳江一首……15
◎草书 入归鸟……16
◎草书 唐人诗句……17
◎行草 自作诗耕牛吟一首……18
◎草书 中堂……19
◎草书 清乾隆无字碑……20
◎行草 自作诗听乐曲
湖边而状其意……21
◎行草 自作诗写竹有题……22
◎草书 唐诗一首……23
◎对联 王维诗句联……24
◎刘长卿《寻张逸人山居》……25
◎草书 王冕墨梅诗一首……26
◎对联 风中石上联……28
◎对联 九霄四野联……29
◎草书 金冬心诗一首……30
◎行草 张祐诗……31
◎对联 精神学问联……32
◎行草 自作诗雾中访经石峪……33
◎横幅 储光羲诗一首……34
◎行草 司空曙《江村即事》
诗一首……36
◎行草 自作诗春日柳江一首……37
◎意临 十七帖……38
◎对联 远山近水七言联……39
◎草书 写意王右军帖……40
◎行草 明人题画诗……41
◎草书 赵子昂题画诗一首……42
◎草书 吴镇题
米芾横山骤雨图……43
◎草书 王昌龄诗一首……44
◎写意 王右军帖……45
◎行草 自作诗游印度鹿苑一首……46
◎行草 自作诗
印度拿瓦拉希城中记事……47
◎对联 树影泉馨联……48
◎写意 王右军大道帖……49
◎横幅 南无阿弥陀佛……50
◎对联 白云明月联……52
◎草书 傅山诗一首……53

作品

风流魏晋驻华章，一笔一划意味长。
欲若学来逸少韵，老老实实读老庄。

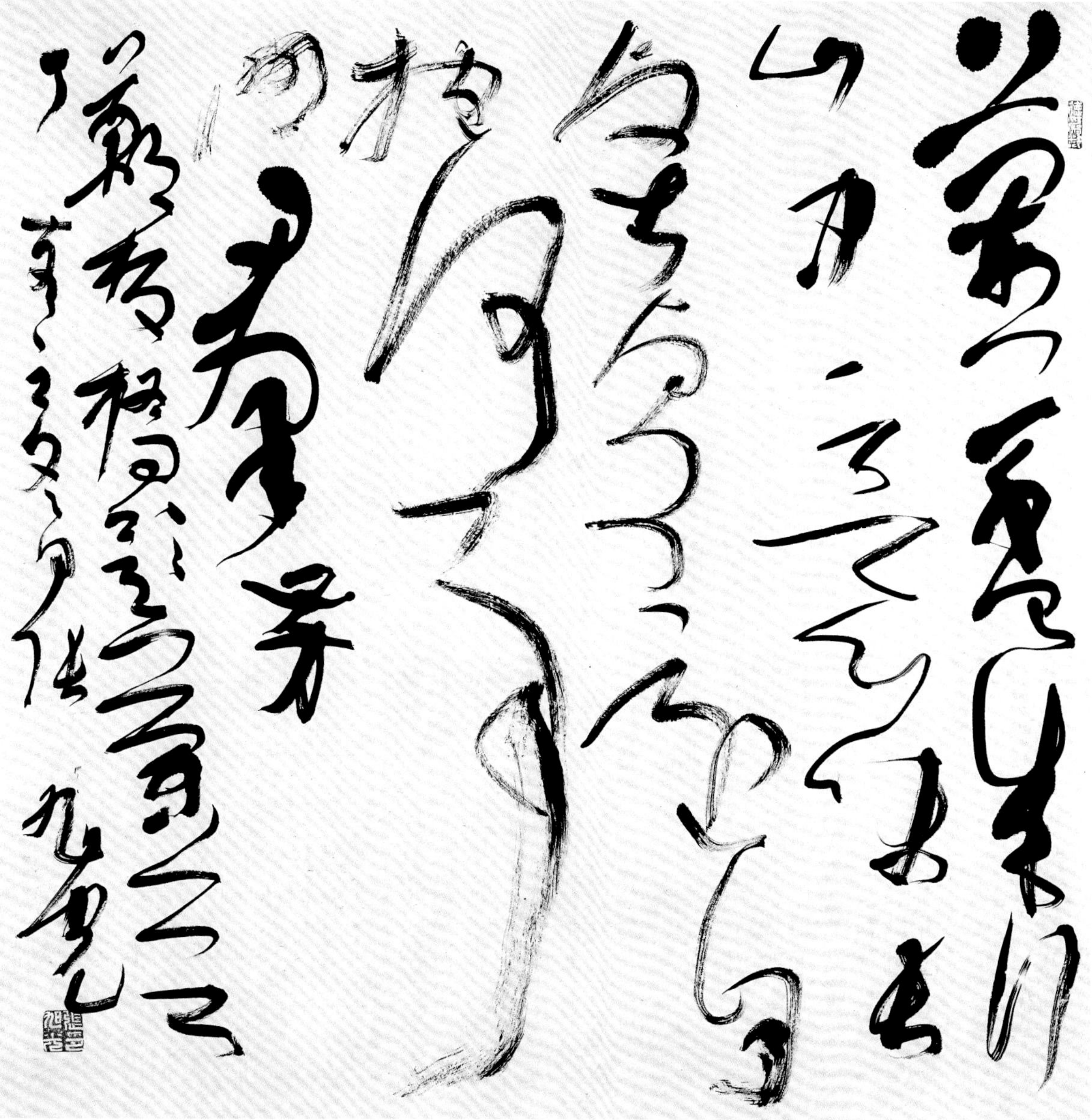

兰草已成行，山中意味长。
坚贞还自抱，何事斗群芳。

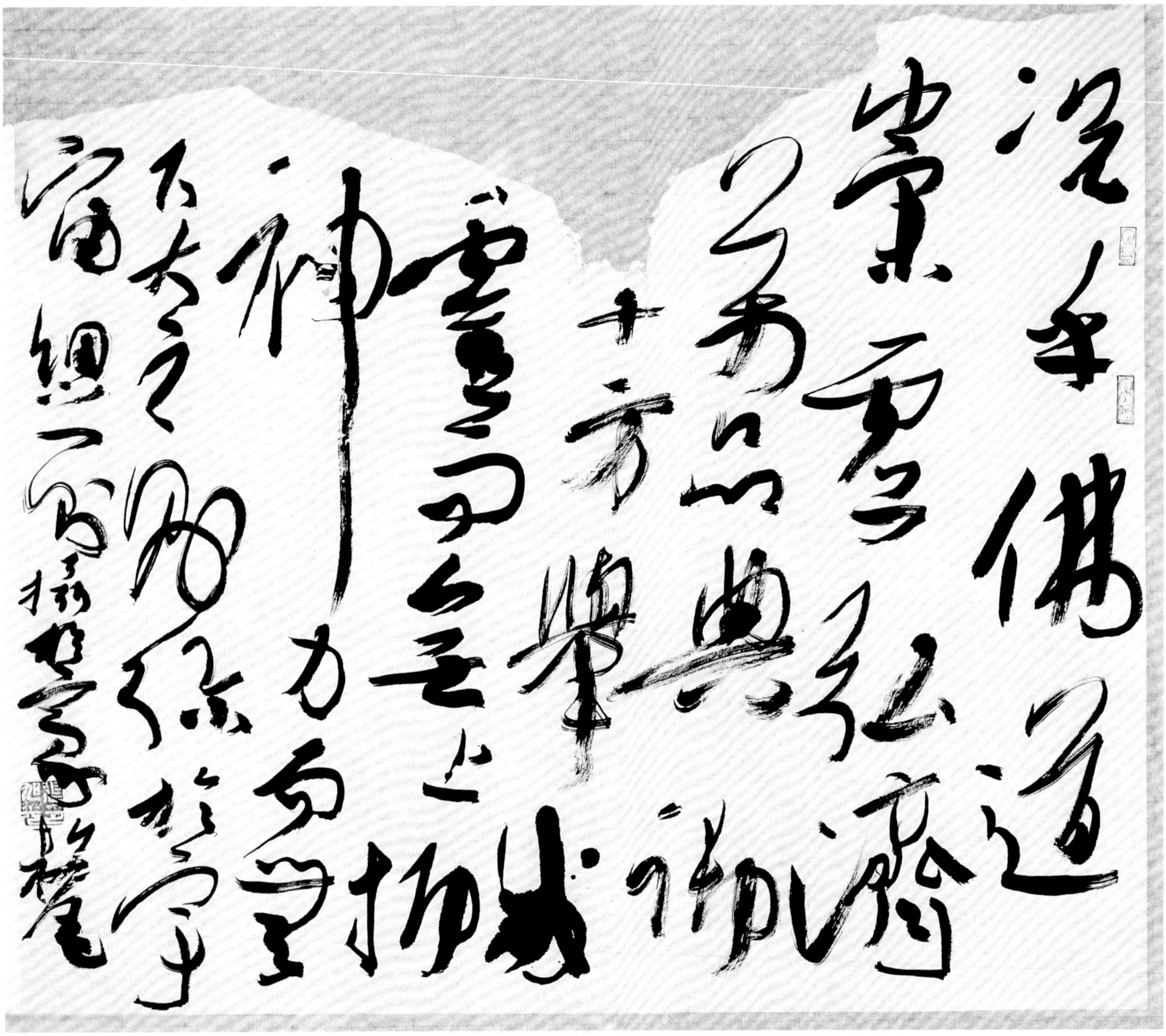

况乎佛道崇虚，（乘幽控寂），弘济万品，典御十方，举威灵而无上，抑神力而无下。大之则弥于宇宙，细之则摄于毫厘。

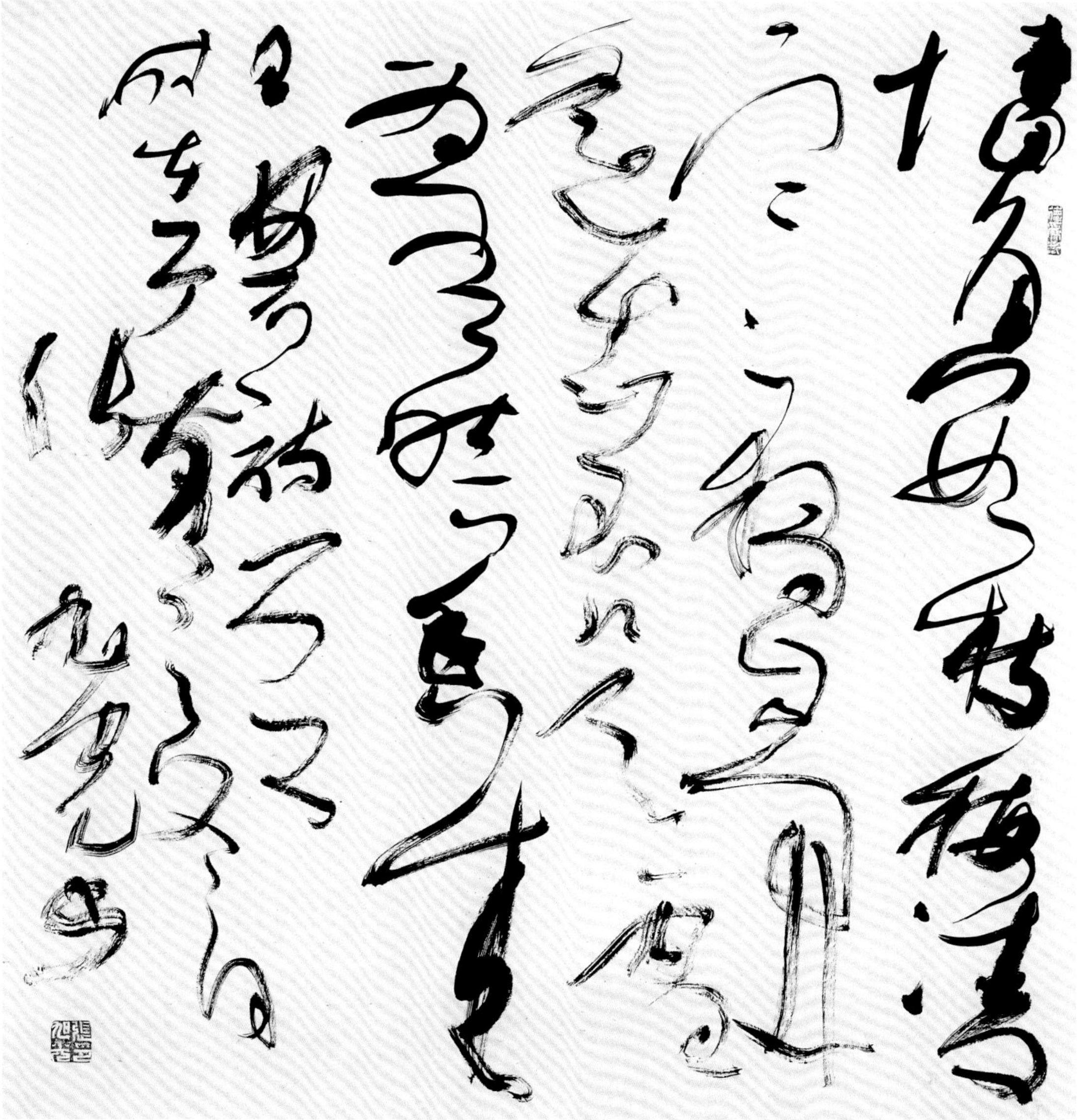

墙角数枝梅，凌寒独自开。
遥知不是雪，为有暗香来。

奉橘三百枚，霜未降，未可多得。

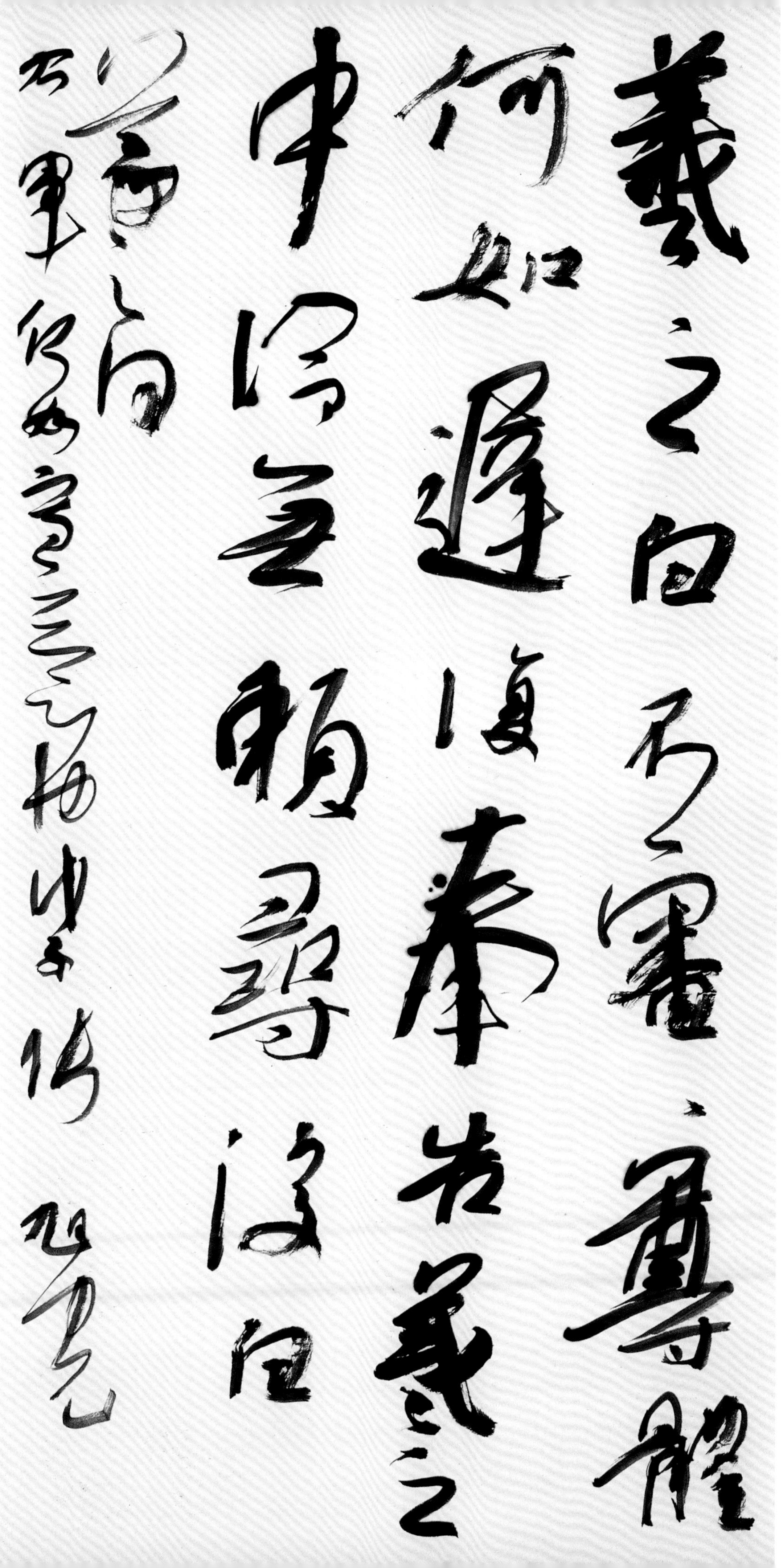

羲之白不审尊体（比复）何如迟复奉告羲之中冷无赖寻复白羲之白。

适奉奉永嘉去月十一日动静故常患
不宁诸女无复消息。献之（白）。

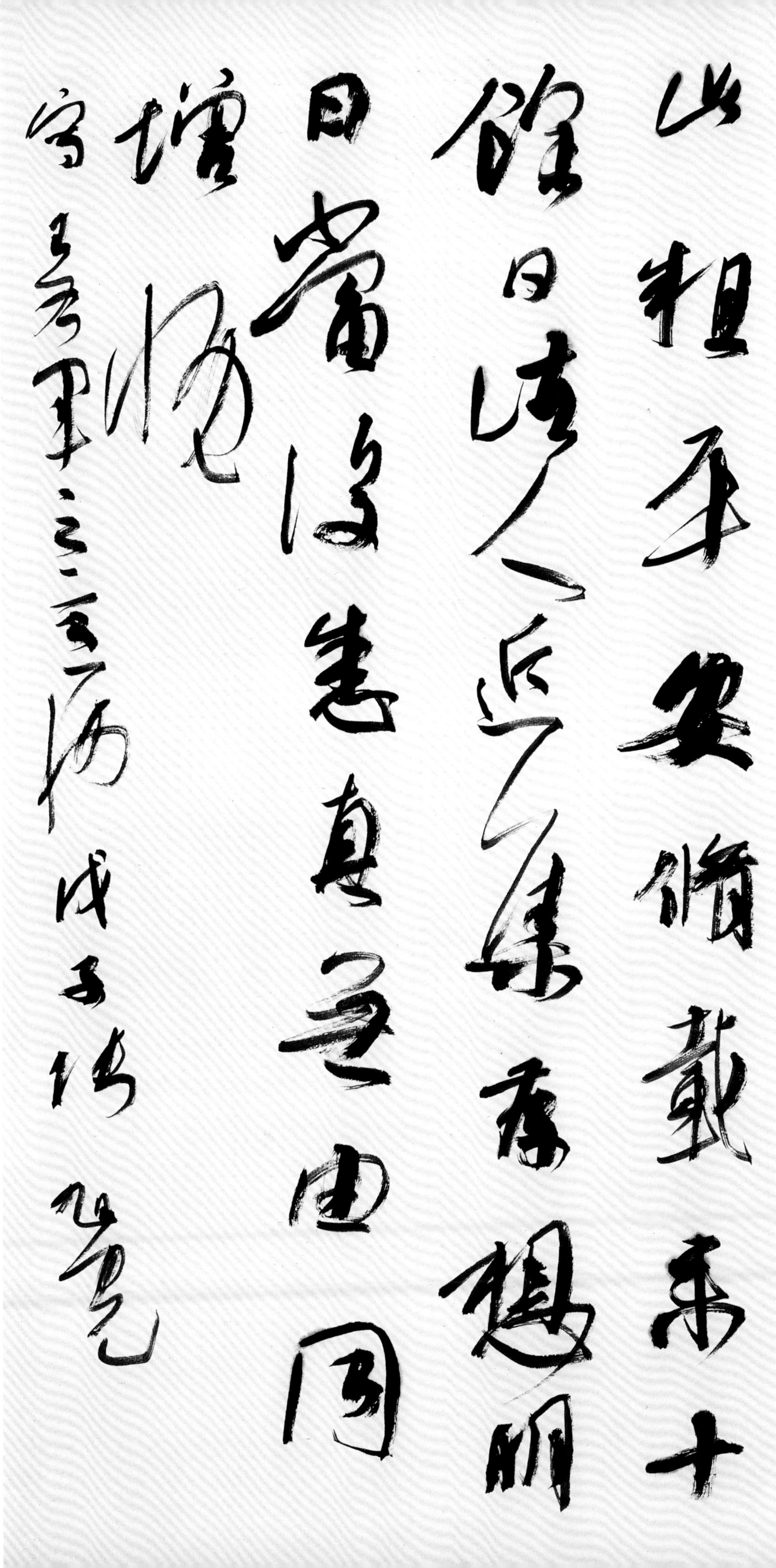

此粗平安修载来十馀日诸人近集存想明日当后悉真无由同增慨。

鸭头丸，故不佳，明常必集，常与君相见。

足下行穰九人还示应决不大都当佳

足下所疏云，此果佳，可为致，子当种之，（此种）彼胡桃皆生也。吾笃喜种果，今在田里，唯以此为事，故远及。足下致此子者，大惠也。右军之意也。

若言琴上有琴声，放在匣中何不鸣？
若言声在指头上，何不于君指上听？

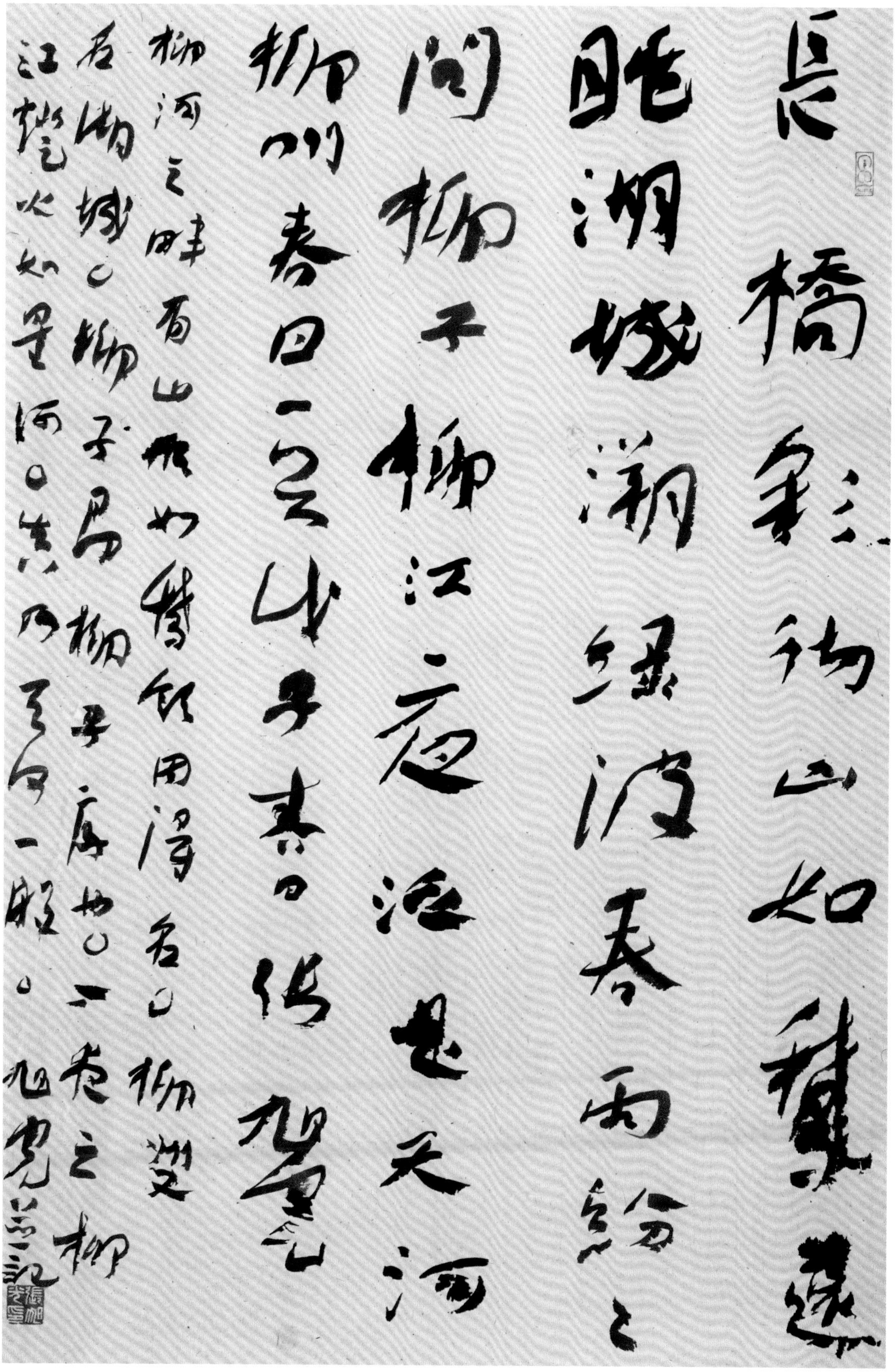

长桥彩彻山如鹅，远眺湖城溯绿波。
春雨纷纷问柳子，柳江夜泛是天河。

人归鸟

白云生处有人家

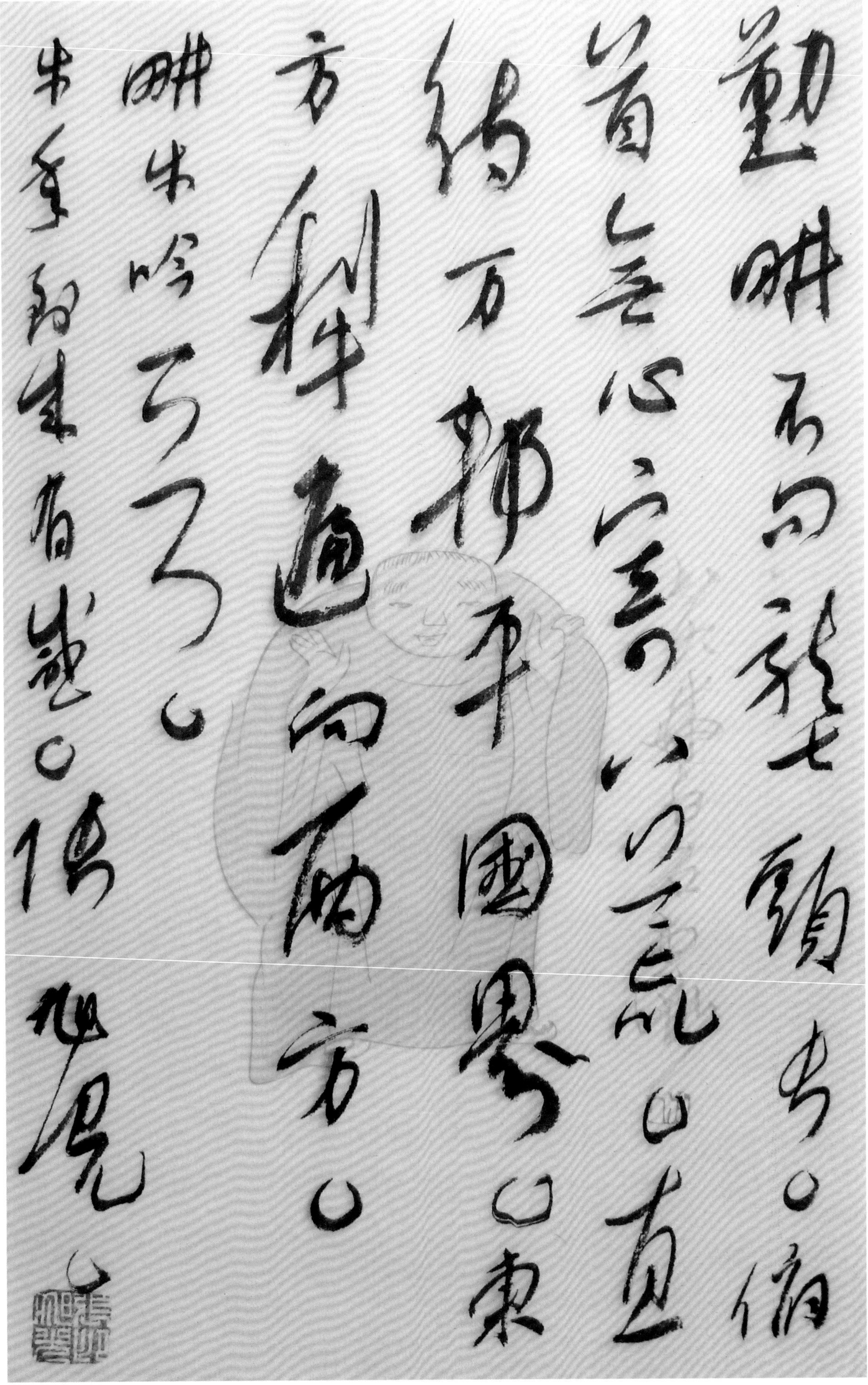

勤耕不问垄头长，俯首无心寄八荒。
直待万邦平国界，东方犁遍向西方。

他人当日度神虬，石洞栖真水畔浮。
寻字凌云探故迹，覆崖珠露滴松秋。

本意欲焚书，立碑故无字。虽云以身先，大是不经事。

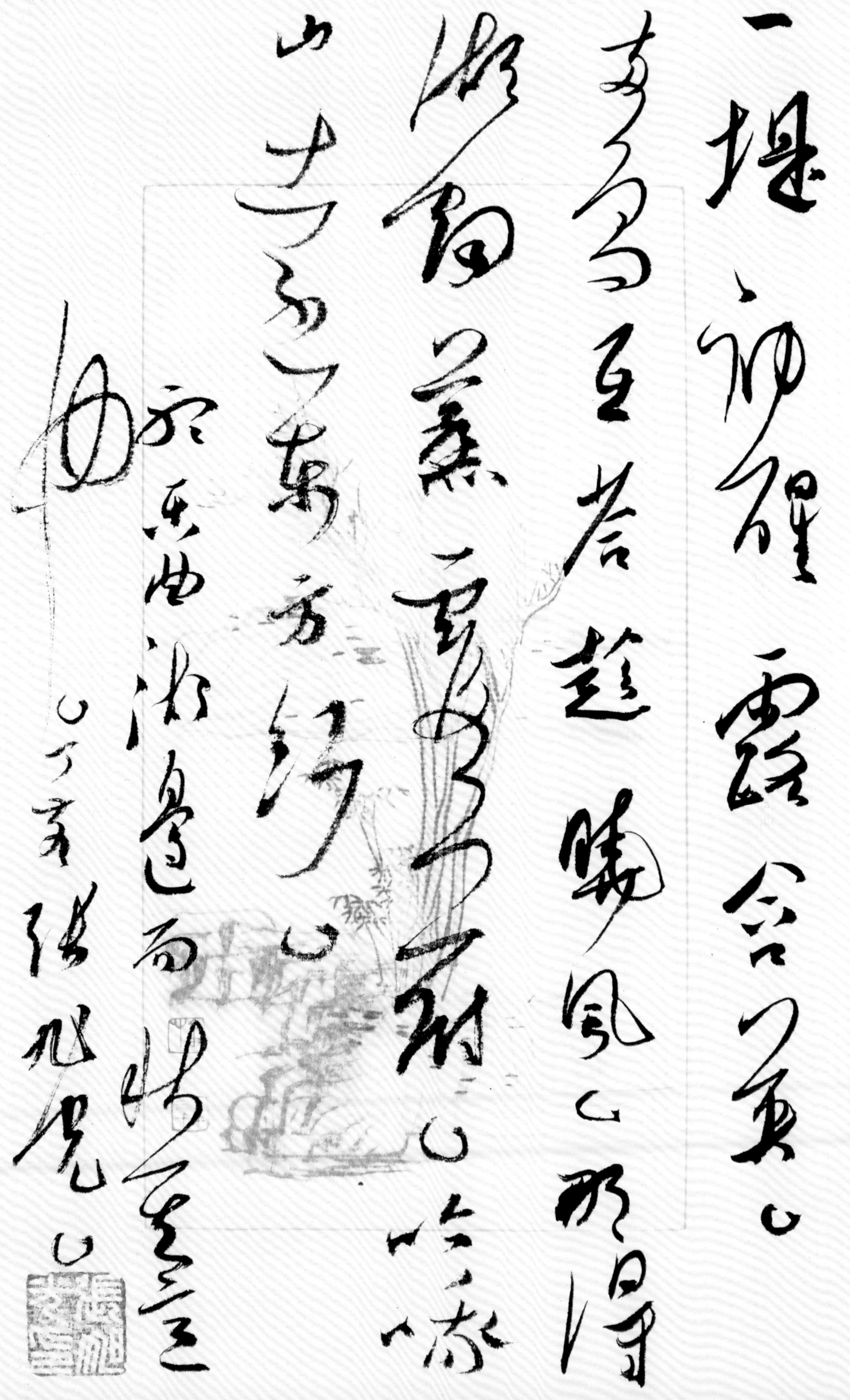

一堤初醒露含英，两鸟互答趁晓风。
那得湖烟蒸霞蔚，吟哦山远东方红。

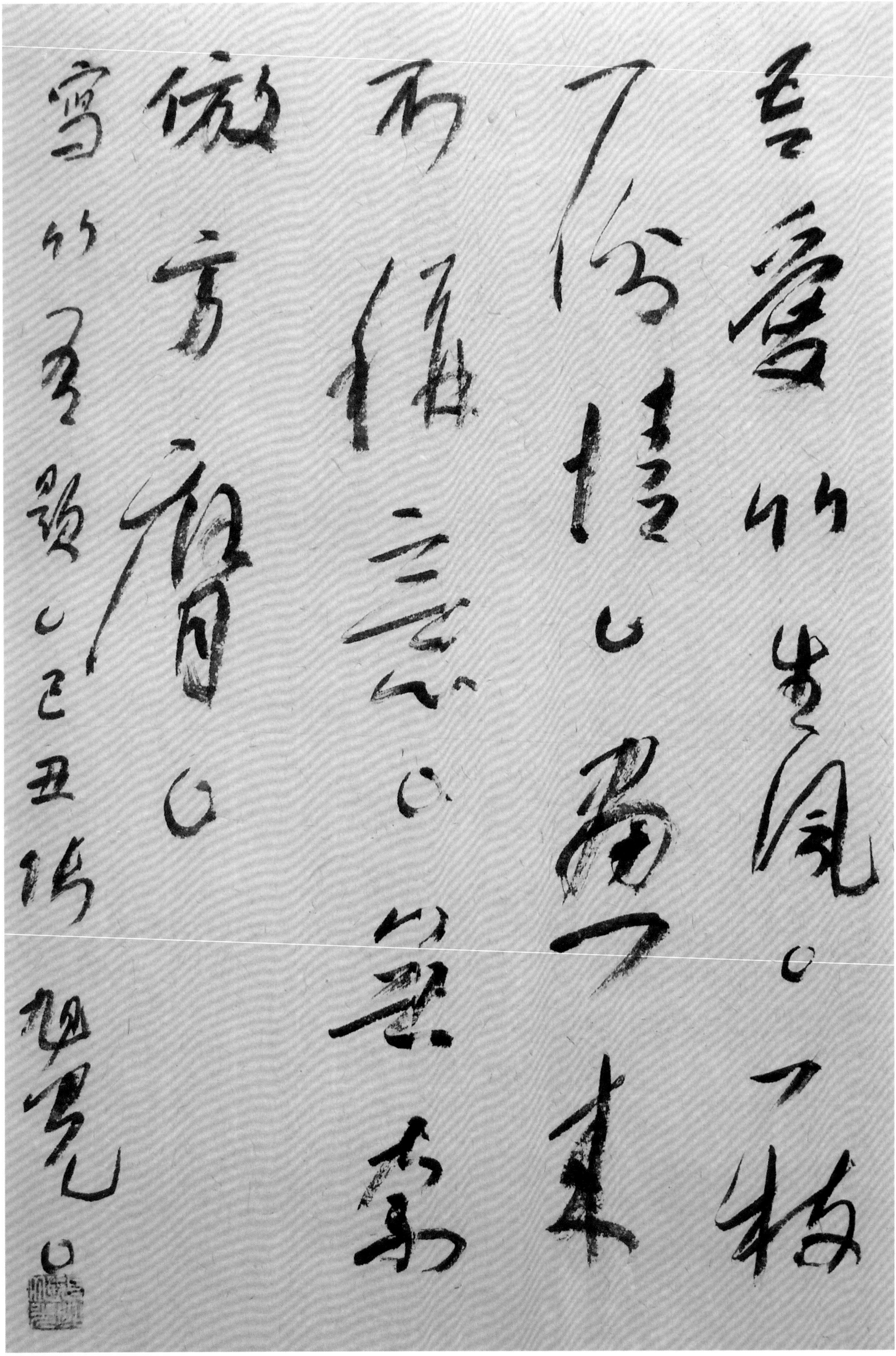

吾爱竹生风，一枝一份情。画来不称意，无奈仿方膺。

空山不见人，但闻人语响。
返景入深林，复照青苔上。

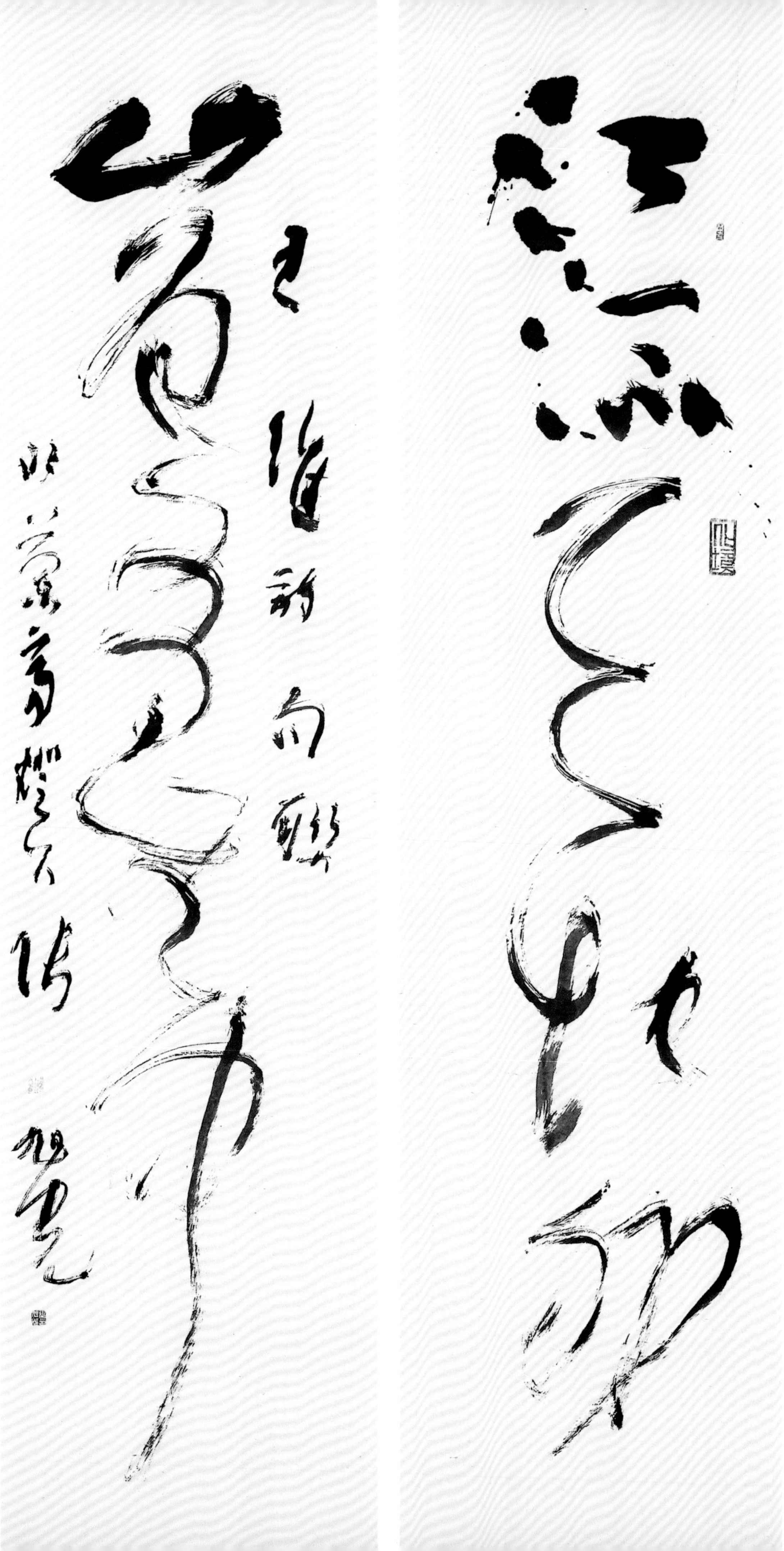

江流天地外，山色有无中。

危石才通鸟道，空山更有人家。
桃源定在深处，涧水浮来落云。

我家洗砚池边树，朵朵花开淡墨痕。
不要人夸颜色好，只留清气满乾坤。

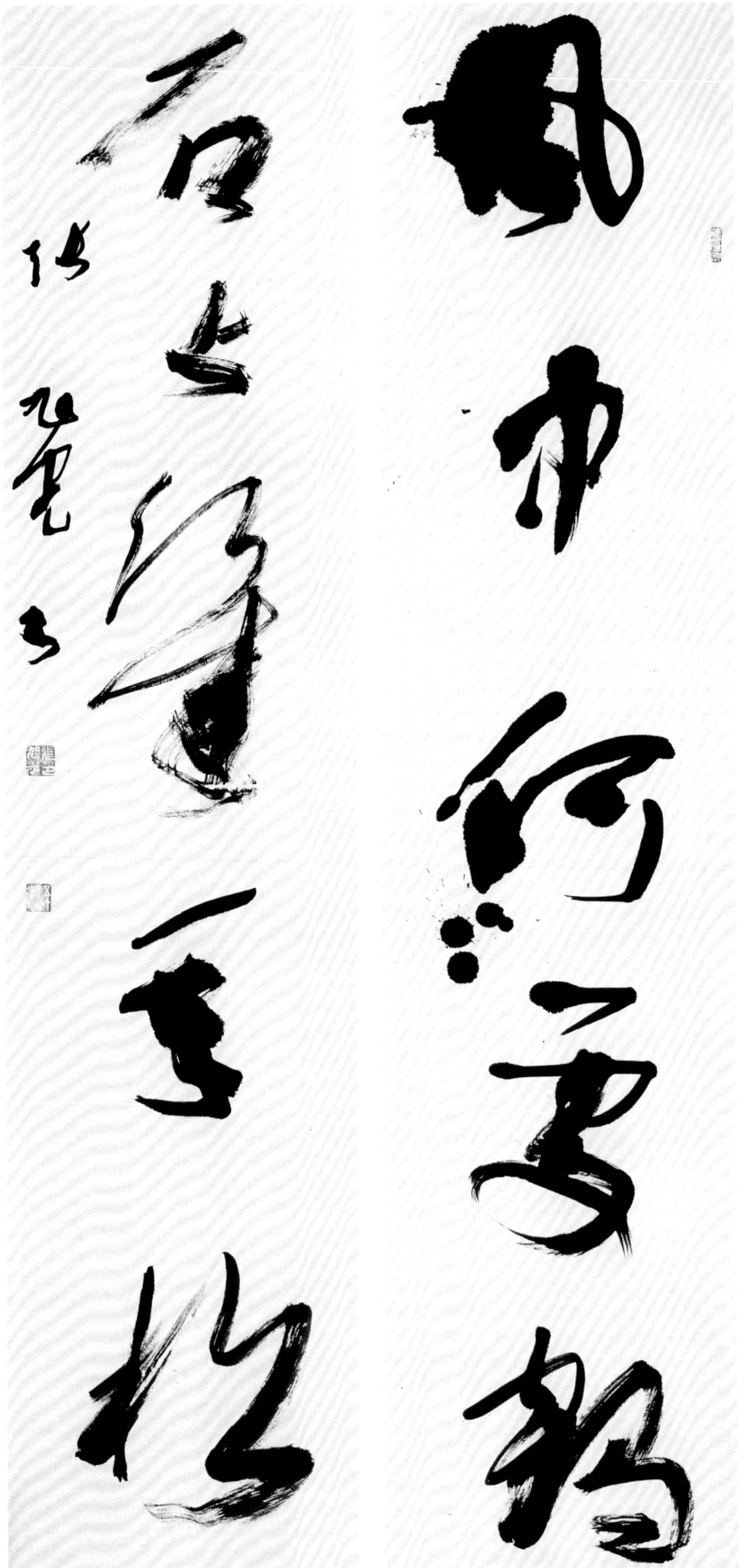

风中何处鹤
石上几年松

九霄云紫　四野风和

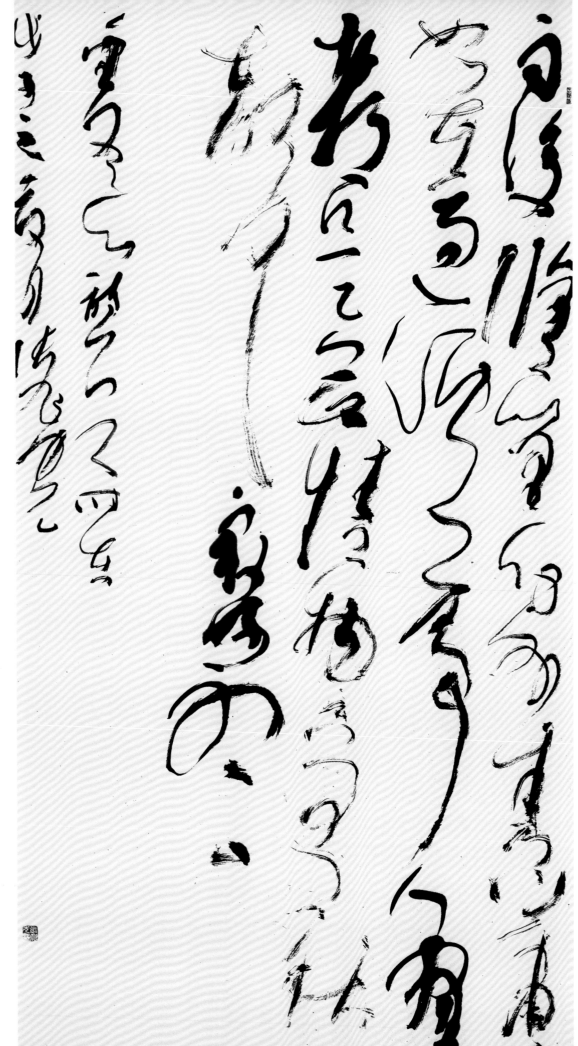

雨后修篁分外青，萧萧如在过溪亭。
人间都是无情物，只有秋声最好听。

千门开锁万灯明，正月中旬动帝京。
三百内人连袖舞，一时天上著词声。

精神到处文章老
学问深时意气平

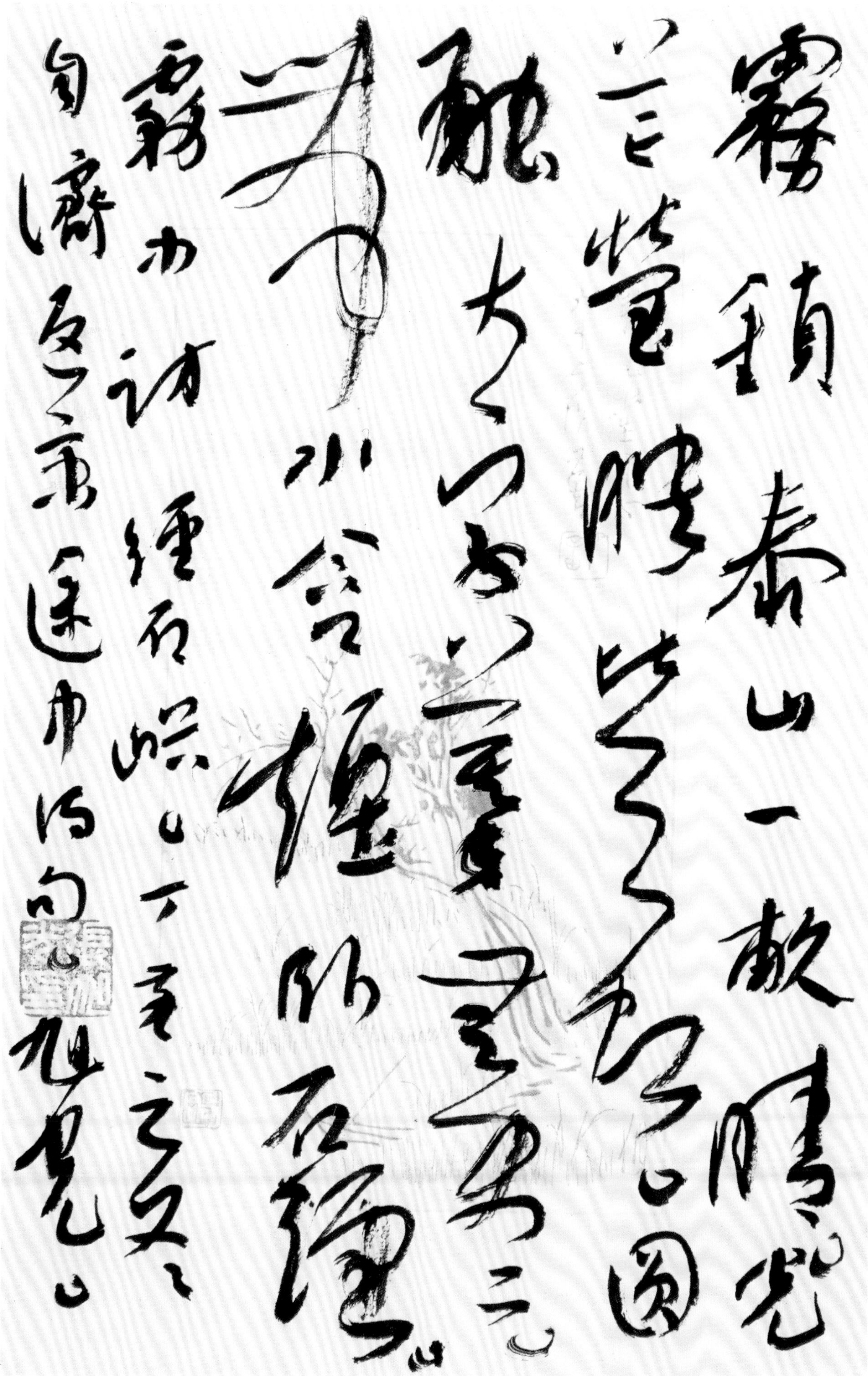

雾锁泰山一亩晴，光芒莹映比天虹。
圆融大字摹无尽，带水含烟卧石经。

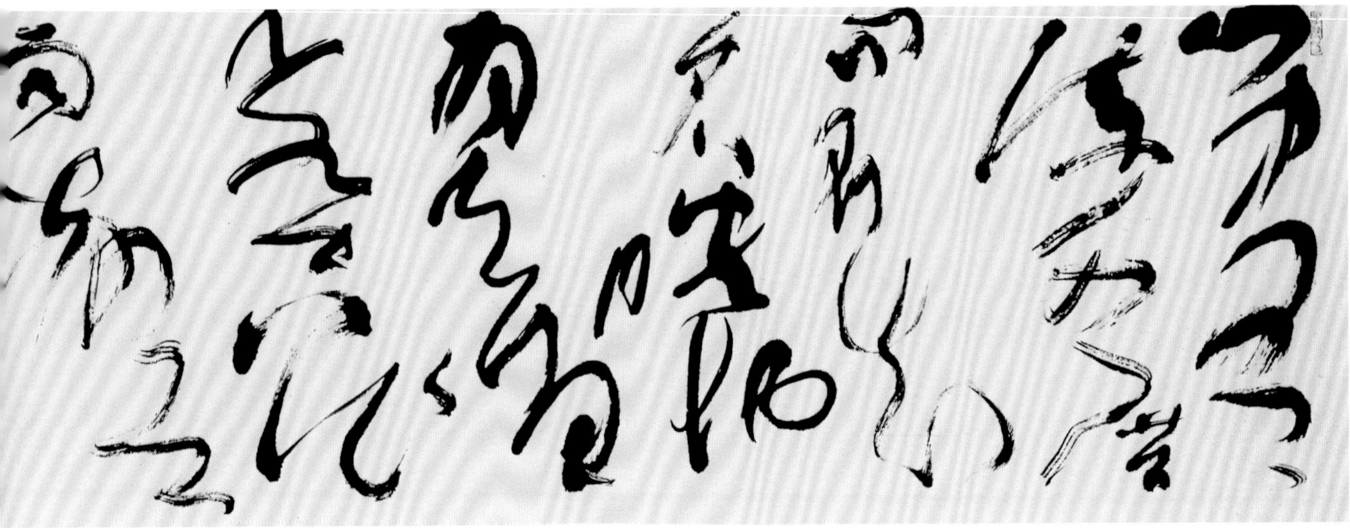

山中有流水，借问不知名。映地为天色，飞空作雨声。
转来深涧满，分出小池平，恬淡无人见，年年长自清。

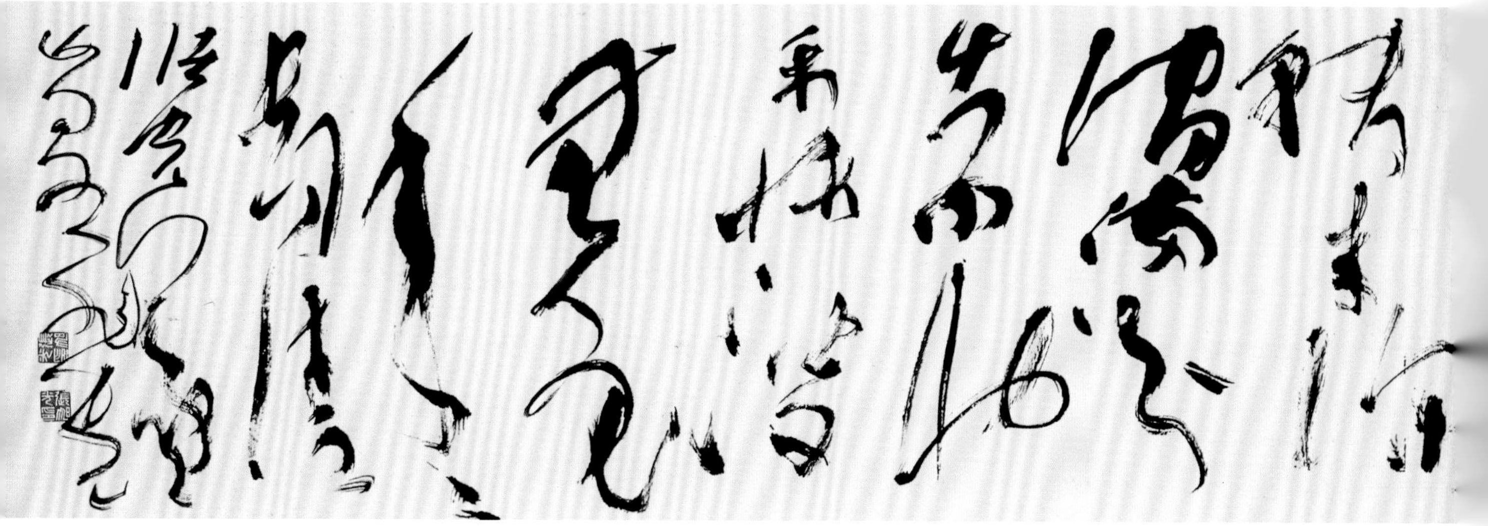

钓罢归来不系船，江村月落正堪眠。
纵然一夜风吹去，只在芦花浅水边。

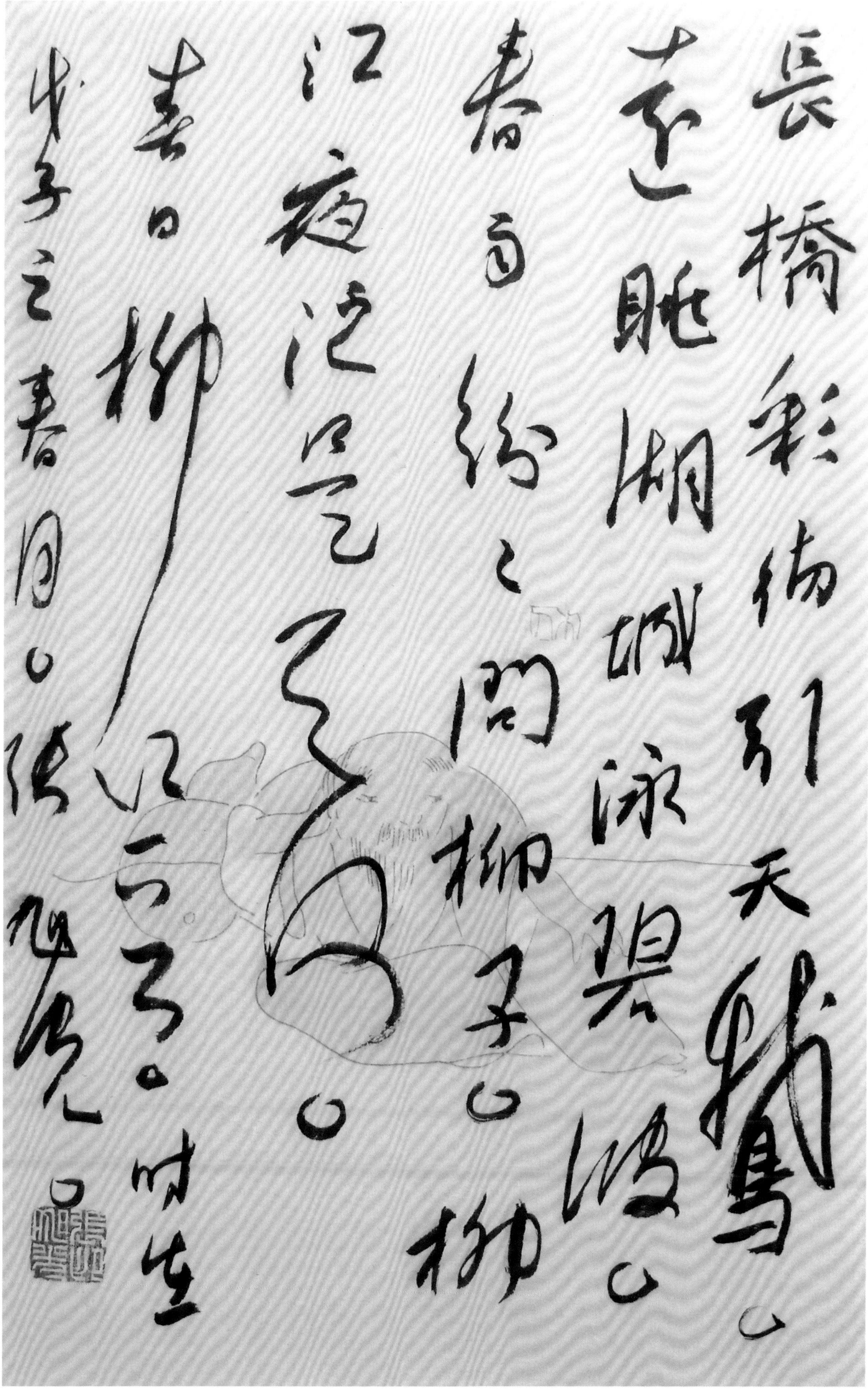

长桥彩彻引天鹅，远眺湖城泳碧波。
春雨纷纷问柳子，柳江夜泛是天河。

意临十七帖

远山有墨千秋画
近水带弦万古琴

草书写意王右军

海上群峰生紫霞，五云楼观是仙家。
谁吹玉笛春风起，千树碧桃都作花。

石如飞白木如籀，写竹还应八法通。若还有人能会此，须知书画本来同。

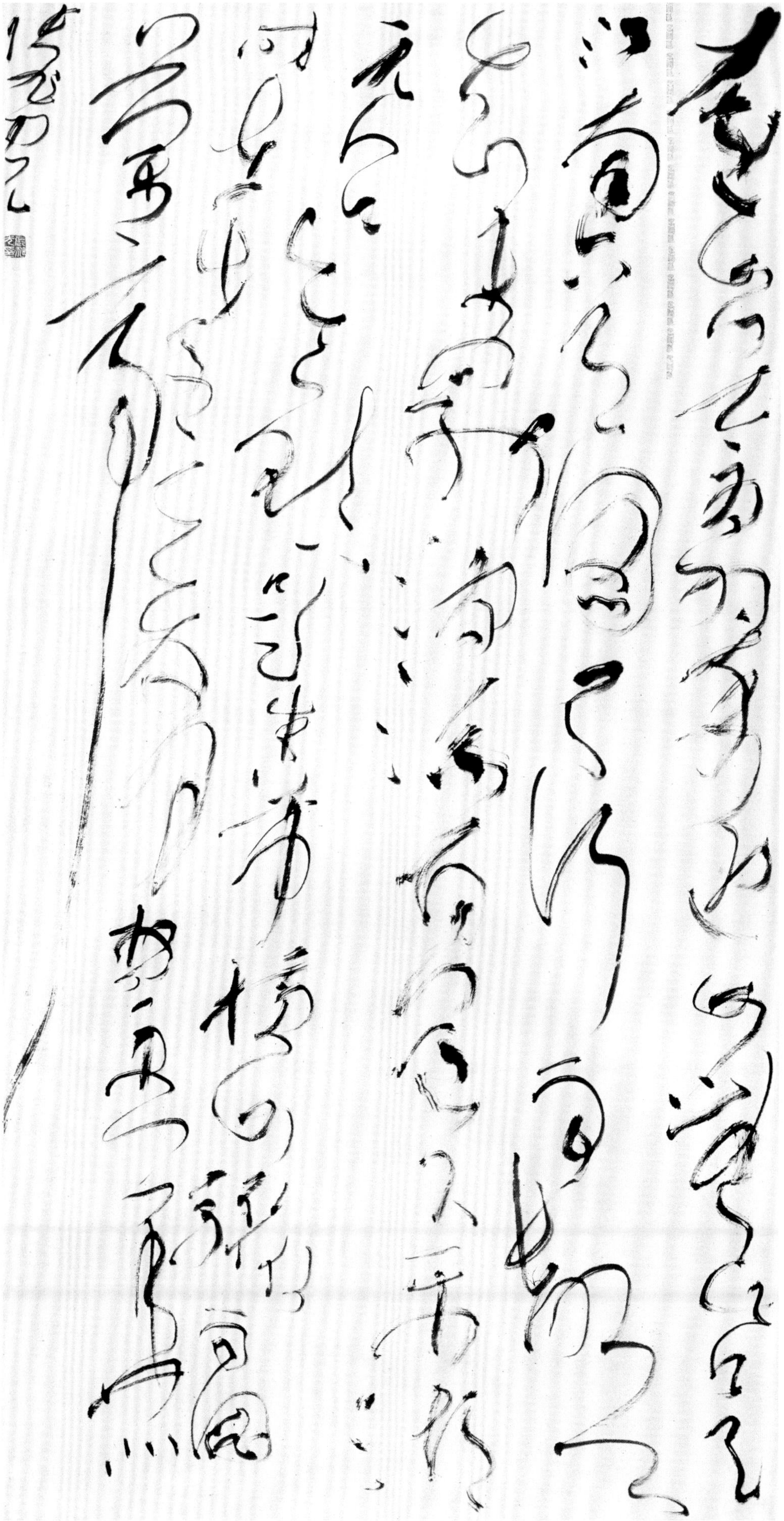

远山苍翠近山无，此是江南六月图。
一片雨声知未罢，涧流百道下平湖。

寒雨连江夜入吴，平明送客楚山孤。
洛阳亲友如相问，一片冰心在玉壶。

鹖等不佳，都令人弊见此辈。吾衰老，不复堪此。

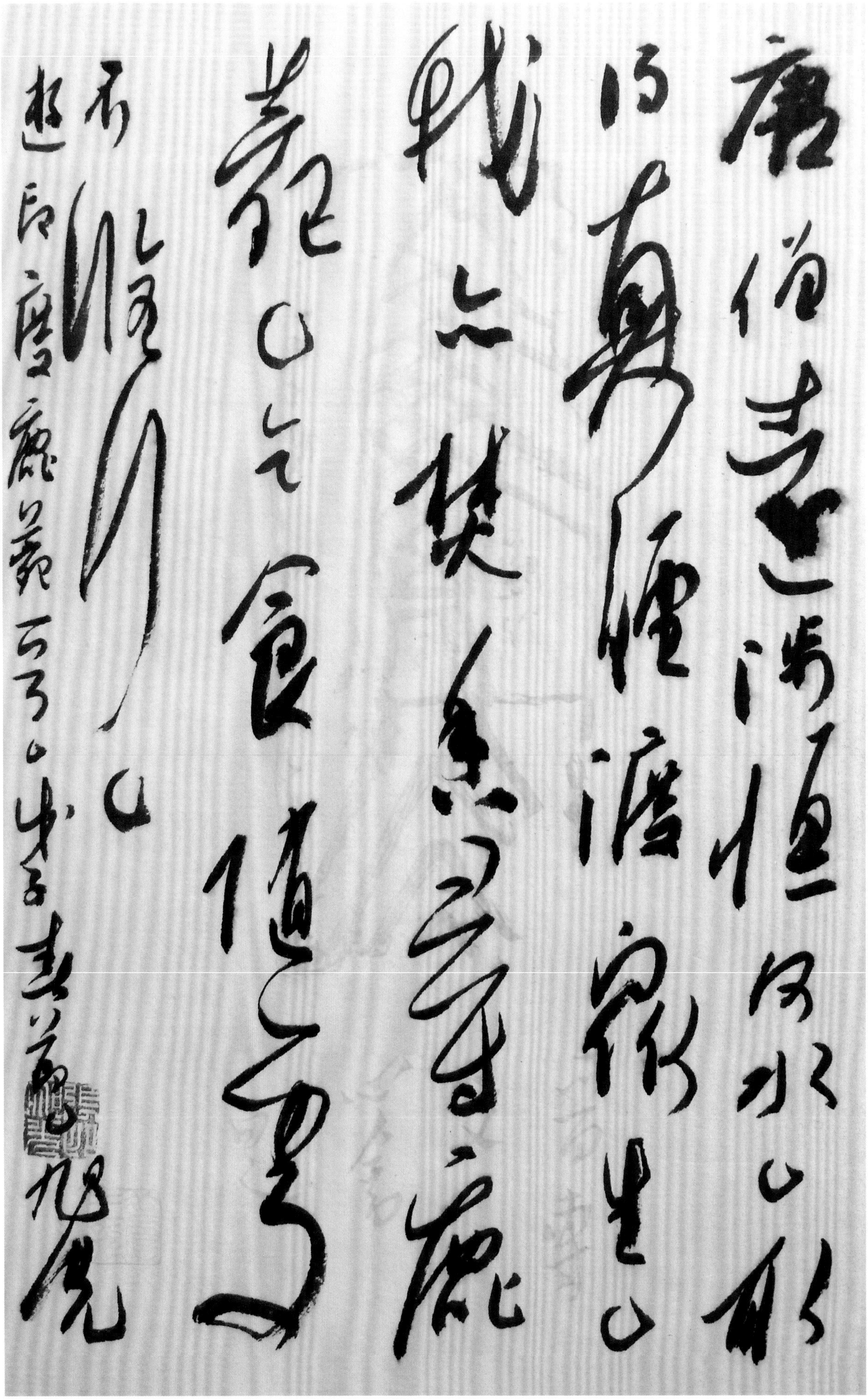

唐僧远涉恒河水，取得真经渡众生。
我亦焚香寻鹿苑，乞食随处不修行。

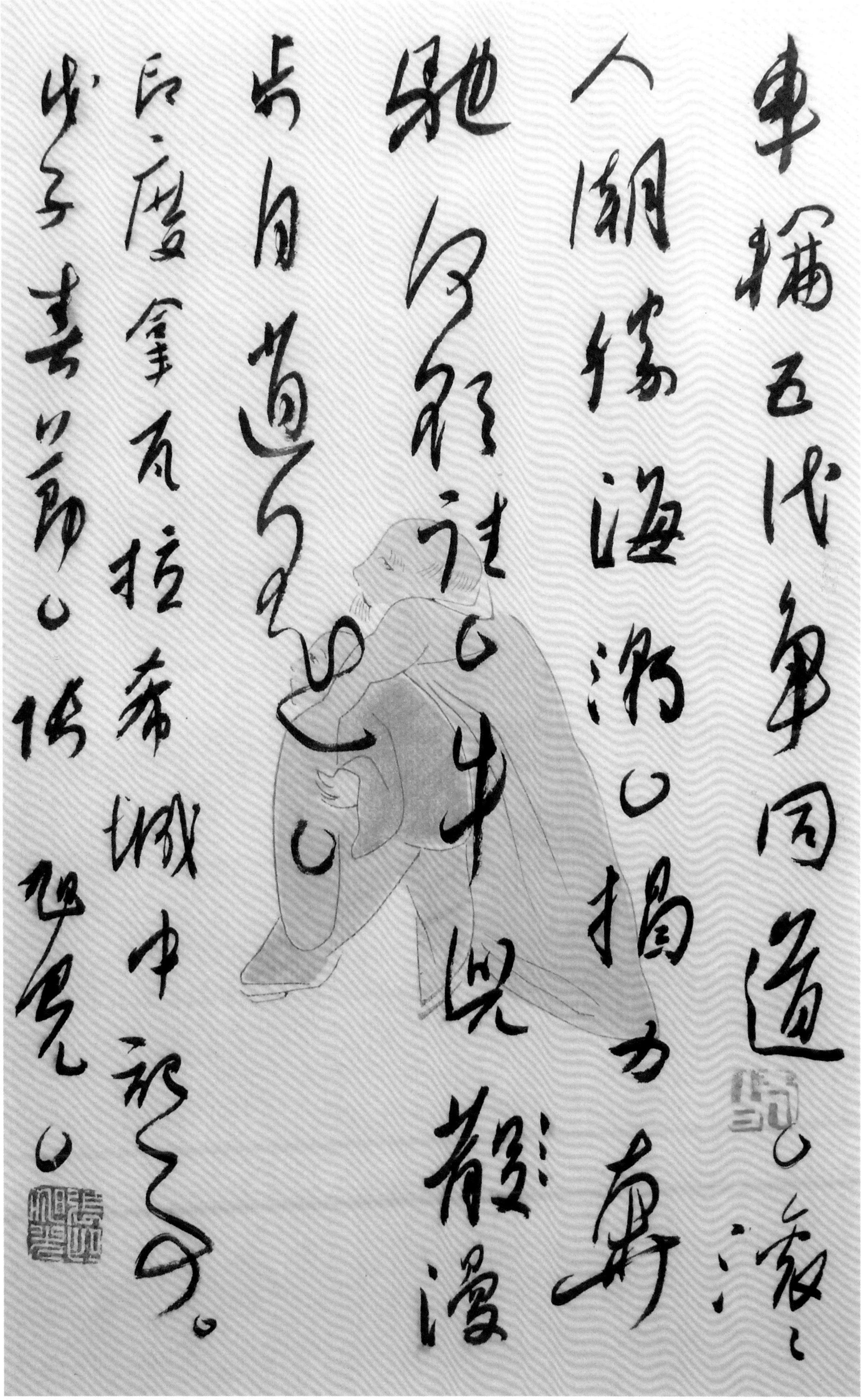

车轮五代争同道，滚滚人潮胜海潮。揭力奔驰何欲往，牛儿漫步自逍遥。

树影岩中画
泉馨石上琴

大道久不下
与先未然耶

南無阿

南无阿弥陀佛

白云随鹤舞
明月逐人归

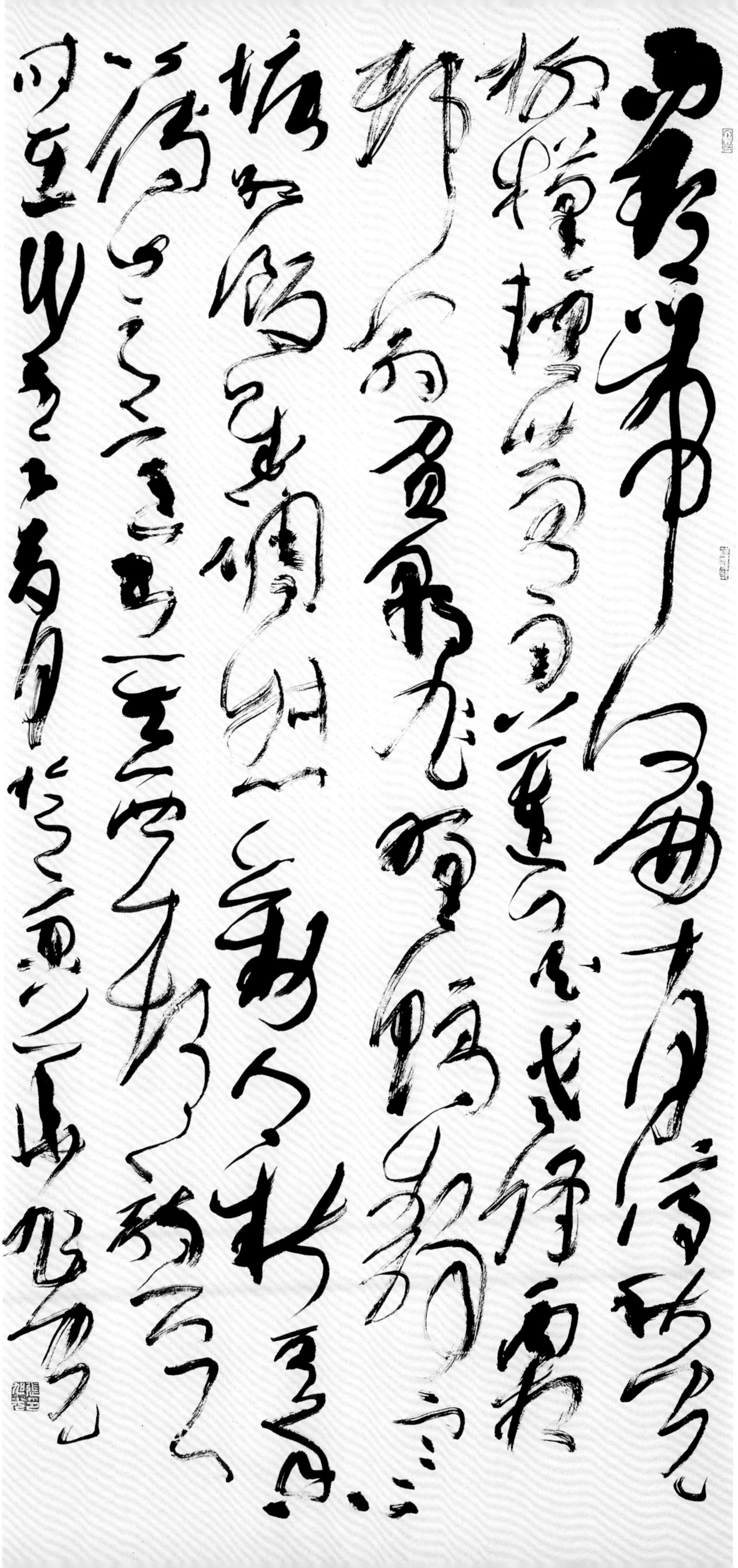

西村带河曲，十月停秋光。
柳篈轻黄雨，莲花老降霜。
村翁负朝旭，野鸭静寒塘。
红饭慰调叔，劝人新豆香。

新帖学价值范式的确立

——张旭光帖学创作论

在当代帖学转换中，张旭光无疑是一个开风气之先的人物。他以自身对二王帖学的深入研悟和卓荦实践将当代帖学的实践与认识水平推到一个新的境地。有理由认为，当代书法的历史性演进在很大程度上已取决于帖学在当代的进展，这也同时使得帖学复兴面临着一个自清代碑学以来难得的书史机遇。

张旭光是当代书坛以入古著称的人物。对二王书法的深入研悟，给他带来双重命运。一是对魏晋二王的深入洞悉，把握使他具有傲人的资本，但同时紧接下来又使其面临巨大的创作压力。帖学的经典范式笼罩使任何一个想在帖学领域获得创造性表现的书家都无法不感到沉重。但帖学历史表明，帖学除去维持书史发展动力的核心价值外，其创造性价值始终表现在自身的不断超越性建构中。无论如何，张旭光写意帖学的提出和倡导都使他建立起一个价值坐标。这个坐标的当代意义虽然还有待历史的检验，但就个体价值而言，却使他拥有了与现当代帖学大家迥然不同的审美取向和书史基点，并进而产生了强烈的当代史效应。张旭光的卓荦之处在于，他始终以开放的书史立场来审视二王帖学，他没有以复古主义和保守主义的心态来认识与把握二王帖学，而是力图将二王帖学与当代主体精神结合起来，并表现出博大、雄浑、浪漫的汉唐气象，因而晋唐一体化成为他帖学实践的一种内在追求，同时，将帖学与当代审美精神结合，将现代美学的构成，情感表现融入帖学也成为他写意帖学的一个主旨。

张旭光帖学以《圣教序》为基，融合王羲之手札及《伯远帖》，王献之今草，并撷取汉碑颜鲁公雄浑博大气象，将韻与势，神与意有机融合，同时又羼入今人林散之、白蕉、徐悲鸿笔意，尤其在水墨化用和线条的营构上更具创造性。他的线条具有强烈的塑造感，他在对二王绞转笔法深入理解把握的基础上通过对水墨的运用控制使其线条的营构具有了二维空间感，这是为一般习帖者所不及的。在对《圣教序》深入研悟的基础上他还提出了二王书法的结构闭合性规律，虽然他没有公开阐释他发现的这一二王书法结体规律，但这无疑与王羲之内擫笔法有关。相对而言王羲之的内擫笔法的『闭』，王献之外拓笔法则是『开』，他的开张结构，融入雄浑外拓的结构与笔势，将王献之草书的长线条化入二王手札，皆表明他力图在王羲之闭合性内擫结构中，融入外拓笔意，以求得写意帖学精神的发挥。张旭光正是沿此以进，建立起雄浑的具有强烈主体表现性的新帖学书风。这种表现主义帖学为当代帖学建立起主体性结构，使当代帖学能够在新的审美精神感召下，融入当代人文风范与审美节奏。一切历史都是当代史，帖学的价值也始终体现在它的挑战与突破机制上，书法史上真正意义上的帖学大师如怀素、米芾、王铎无不是在逆向的反叛式继承中完成了对二王帖学的伟大传承与超越，而赵孟頫、董其昌则因其始终将二王帖学视作膜拜的对象，以至最终断送了帖学。

当代新帖学的出现，标志着当代帖学的全面复兴，同时也表明，继近现代帖学的历史低潮和碑学的强势笼罩后，当代帖学开始走出历史低谷。当代书法的存在危机表明复兴帖学是当代书法走出困境谋求历史超越发展的必然途径，同时帖学的多元化实践也表明当代帖学不是对二王帖学的简单继承，而是整合性的多方维的历史超越。在当代帖学的整体价值转换中，张旭光的帖学实践价值无疑将随着当代书史的推进愈益显示出来。

姜寿田